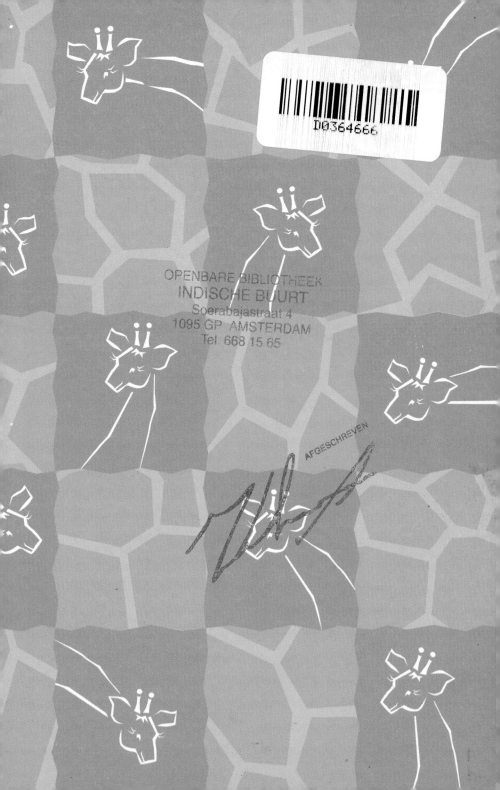

Stiekem
in een hoekje

LEESNIVEAU

	ME	ME	ME	ME	ME	
AVI	S	3	**4**	5	6	7	P
CLIB	S	3	4	**5**	6	7	8	P

grootouders; helpen

Toegekend door Cito i.s.m. KPC Groep

© 2007 Educatieve uitgeverij Maretak, Postbus 80, 9400 AB Assen

Tekst: Anne Takens
Illustraties: Mies van Hout
Vormgeving: Heleen van Keulen
DTP Gerard de Groot
ISBN 978 90 437 0325 3
NUR 140/282
AVI 6

Stiekem
in een hoekje

Anne Takens
illustraties: Mies van Hout

educatieve

uitgeverij

Maretak

1 Een leuk plan

De klas van juf Moniek is aan het rekenen.
Timo is er een kei in.
Hij is vlug klaar en zijn sommen zijn bijna goed.
Hij heeft maar twee foutjes.
De juf geeft hem een aai over zijn bol en zegt:
'Wat heb jij hard gewerkt!'
Timo mag op de computer, maar eerst schrijft hij
een briefje.
Een briefje aan Kikie.

Hoi Kikie,

Ga je uit school mee naar opa Ad?
Knik ja als je het doet.

groetjes van Timo

Timo vindt Kikie het liefste meisje van de klas.
Ze heeft grote bruine ogen met glimlichtjes erin,
en haar haar is lang en zwart.
Soms doet ze er een strik in of speldjes met
glitters erop.

Timo houdt veel van glitters, want ze horen bij leuke meiden.

Kikie woonde vroeger in een warm land.
Elke dag ging ze naar het strand.
Daar zwom ze in de zee met dolfijnen.
De zon maakte haar mooi bruin, net zo bruin als koffie.
Nu woont Kikie in Nederland in een dorpje bij de zee.
Kikie en Timo wonen naast elkaar.
Ze zijn buurtjes en dikke vrienden.

Timo maakt een prop van zijn briefje.
Hij mikt het op het tafeltje van Kikie.
Kikie vouwt het briefje open en leest het.
Dan kijkt ze om naar Timo en knikt.
Ja, ze gaat mee!

Uit school rennen Timo en Kikie naar huis.
Hun moeders zitten te kletsen in de tuin van Timo.
Ze vragen: 'Hoe was het in de klas?'
'Goed,' zegt Timo, 'maar we hebben haast! We gaan naar opa Ad, mag dat?'
De moeders vinden het prima.
Maar niet te lang weg blijven!

De mama van Kikie heeft koekjes gebakken.
Ze stopt er een heleboel in een zak.
'Voor opa Ad', zegt ze. 'Laat die man maar
smullen.'

Onderweg snoepen Kikie en Timo er vier op.
Met zijn mond vol koek zegt Timo: 'Mijn opa is
vaak verdrietig.'
'Ja, dat snap ik,' zegt Kikie, 'want jouw oma is
dood en je opa is nu heel erg alleen. Op een dag
was mijn poes ook doodgegaan. Mijn poes heette
Moortje. Ze was pikzwart, maar haar neusje was
wit, net of er een vlokje sneeuw op lag. Soms
bracht Moortje me naar bed. Dan kroop ze onder
mijn dekbed en deed of ze een knuffel was. Een
levende knuffel.'
Timo lacht en Kikie vertelt door.
'Moortje deed altijd gekke dingen. Ze klom in de

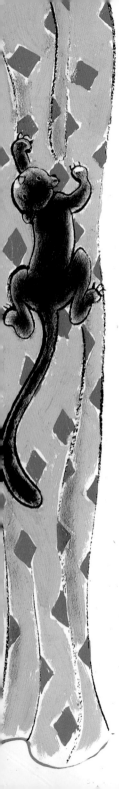

gordijnen of ze dook in de wasmand, tussen mijn vieze sokken. Op een dag duwde ze de prullenbak om en ging voetballen met de proppen papier!'

Timo grijnst en vraagt: 'Kon ze kunstjes doen?'

'Ja', zegt Kikie. 'Moortje sprong soms door een hoepel of ze maakte een koprol op het gras. Ze speelde ook wel eens piano. Dan deed ze *pong, ping, pong* met haar pootjes, en ik zong er een liedje bij. Ik denk nog vaak aan Moortje. En dan begin ik te snikken, omdat die lieve poes er niet meer is.'

'Mijn opa snikt soms ook,' zegt Timo, 'maar hij wil niet dat iemand het ziet. Daarom huilt hij stiekem in een hoekje of in zijn bed onder de dekens.'

'Dat vind ik zielig', zegt Kikie. 'Ik heb een plan. We gaan opa vrolijk maken!'

Ze fluistert iets in Timo's oor.

Timo begint te lachen.

'Goed bedacht, Kiek!'

Dan hollen ze naar het huis van opa.

2 Tranen

Opa Ad woont in de Lindenlaan.
Die laan is bij Kikie en Timo in de buurt.
Het huis van opa heet *Hans en Grietje*, maar het is
niet van koek of snoep.
Toch lijkt het op een sprookjeshuis.
De muren zijn wit en op het dak groeit mos.
Uit de schoorsteen komt soms een sliertje rook.
In de voortuin staat een kabouter.
Het huis staat dicht bij de duinen en de grote zee.
Timo doet het hekje open en trekt Kikie mee naar
de achtertuin.
Daar is een vijver met vissen.
Aan de kant staat een beeldje.
Het is een bloot mannetje van steen, met een
knopje op zijn hoofd.
Timo drukt erop en ineens begint het beeldje te
plassen.
Een straaltje water plonst in de vijver.
Kikie roept: 'Mannetje Pies, die vind ik zo leuk!
Laat hem nog eens plassen, Timo!'
'Nee, een andere keer', zegt Timo. 'Kom mee naar
opa, hij is in de kas!'

De plantenkas is een huisje van glas.
Het staat achter in de tuin.
Timo en Kikie hollen er naartoe.
Ze kijken door de ramen naar binnen.
Opa Ad zit op een kruk bij een tafel en stopt
plantjes in potjes.
Timo tikt tegen een ruit.
Verrast kijkt opa op van zijn werk en lacht.
Hij schuift een deurtje open.
'Dag kinderen, kom in de kas', zegt hij.
'Wij komen hier bij jou op visite en we hebben
iets lekkers meegebracht', zegt Kikie.
Ze geeft opa de zak.
Opa pakt er twee koekjes uit en smult ervan.
In de kas hangt een foto van oma Rosalien.
Oma staat op een duin en ze kijkt naar de zee.
De rok van haar jurk waait op in de wind.
'Mijn oma was lief', zegt Timo. 'Ik mis haar elke
dag heel erg.'
'Ja, ik mis haar ook', zegt opa. 'Ze kon zo lekker
koken en ze speelde altijd leuke liedjes op mijn
oude piano.'
'Oma deed vaak spelletjes met mij', zegt Timo.
'Mens-erger-je-niet, of Ganzenbord of Risk. En
ze maakte gekke grapjes, waar ik hard om moest
lachen.'
'Grapjes hoor ik nooit meer', zegt opa, 'en liedjes

klinken ook niet meer in mijn huis. De piano
houdt zich zo stil als een muis. Alle liedjes en
grapjes zijn weg. De wind nam ze mee naar de
zee.'
Opa pakt een zakdoek uit zijn broekzak.
Hij veegt over zijn ogen en dan snuit hij zijn
neus.
'Het spijt me dat ik huil', zegt hij. 'Meestal huil ik
stiekem in een hoekje, maar vandaag heb ik te
veel tranen. Trek je er maar niets van aan, hoor.'
Kikie slaat haar armen om opa's buik.
Ze geeft een kus op zijn trui.
'We kunnen niet op de piano spelen,' zegt ze,
'maar we weten wel leuke grapjes. Timo en ik
gaan moppen tappen voor jou. Daar word je vast
blij van.'

3 Moppen en raadsels

Timo vertelt zijn eerste mop.
'Jan en Piet zijn bij opa.
Ze pakken een spel uit de kast.
Het is Mens-erger-je-niet.
"Wie het hoogst gooit, mag beginnen", zegt opa.
Piet gooit zijn dobbelsteen op.
De steen petst tegen het plafond.
Opa roept: "Wat doe je nou, jongen!"
Piet lacht en zegt: "Je zei toch tegen ons *Wie het hoogst gooit mag beginnen?*"'

Opa grijnst en Kikie roept: 'Mijn mop is heel leuk! Moet je horen:
Bas wandelt in een bos met zijn oma.
Oma zegt: "Je mag niets oprapen, want misschien heeft er een hond op gepiest."
Opeens valt oma op de grond.
Ze roept: "Raap me op, lieve Bas!"
"Nee," zegt Bas, "ik mag niets oprapen, want misschien heeft er wel een hondje op je geplast!"'

Timo zegt: 'Ik weet een vieze mop over een drolletje dat door de lucht vloog.'
'Die mop ken ik al', zegt opa. 'Vertel maar een andere, Timo.'
Maar Timo weet geen mopjes meer.
'Ik ken ook een raadsel', zegt Kikie. 'Welke spin kun je eten?'
'Ik weet het,' zegt opa, 'een vogelspin. Flink bakken in de koekenpan, met veel boter.'

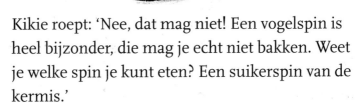

Kikie roept: 'Nee, dat mag niet! Een vogelspin is heel bijzonder, die mag je echt niet bakken. Weet je welke spin je kunt eten? Een suikerspin van de kermis.'
'Op de kermis eet ik altijd worst', zegt opa. 'Ik ben te oud voor een suikerspin.'
'Niet waar,' zegt Kikie, 'grote mensen lusten ze ook! Ga je een keer mee naar de kermis? Dan koop ik er eentje voor jou.'

Timo vraagt: 'Opa, wil je nog meer raadsels horen?'
Opa schudt zijn hoofd en zegt zacht: 'Ik wil zo graag een liedje horen. Een liedje dat oma altijd zong. Het gaat over de wind en over Rosa. Kunnen jullie dat voor mij zingen?'
Kikie en Timo halen hun schouders op.
Ze weten niet welk liedje opa bedoelt.
'Maar ik ken wel een ander versje', zegt Timo.
Hij zingt een beetje vals: *'Hoeperdepoep zat op de stoep. Kom laat ons vrolijk wezen!* Verder weet ik het niet', zegt hij.
'Dat is niet erg, hoor', zegt opa. 'Komen jullie morgen weer bij mij? En krijg ik dan weer koekjes?'
'Nee, geen koekjes, maar wel iets liefs', lacht Kikie. 'En dat gaan Timo en ik nog verzinnen!'

Timo en Kikie nemen afscheid van opa.
Opa zwaait hen na bij het hekje in de voortuin.
Hij wuift met zijn zakdoek.
Een zakdoek vol tranen.

4 Een schilderij

De volgende dag is het zaterdag.
In de lucht drijven grijze wolken.
Ze zitten elkaar achterna, net of ze tikkertje
spelen.
Er staat een harde wind.
Timo stormt vanzelf naar Kikies huis.
Daar is het warm en gezellig.
In de keuken ruikt het naar lekker eten.
De moeder van Kikie is dol op koken, en ze kan
mooie taarten bakken.
Taarten in de vorm van een varkentje, met een
dropveter als staart.
Ze bakt ook wel eens een poezentaart of een
zwembadtaart met een duikplank en popjes van
deeg.
Of een taart over verliefd met hartjes van rode jam.
De moeder van Kikie lijkt precies op Kikie.
Ze heeft bruine wangen en zwart haar, met een
rode strik erin, en ze is net zo vrolijk als Kikie.
Ze geeft Timo een knipoog en vraagt: 'Lust je een
stuk taart?'
Timo schudt zijn hoofd.

Zijn buik zit al vol.
Thuis heeft hij drie broodjes op met kaas en worst.
Hij rent naar de kamer van Kikie.
Kikie zit op de vloer bij een groot vel papier.
'Ik heb iets bedacht voor opa', zegt ze. 'We
maken een schilderij. Daar wordt zijn kamer
gezellig van, want het is er heel saai.'

Ze gaan aan het werk, met verf en viltstiften.
Timo tekent het huis van opa Ad en de vijver met
de vissen.
De muren van het huis verft hij rood en in de
lucht maakt hij een zon.

Die wordt knaloranje, met heel veel stralen.
Kikie tekent een hondje.
Ze verft het bruin.

'Opa heeft helemaal geen hond', zegt Timo.
'Waarom teken je hem dan?'
'Gewoon voor de grap,' zegt Kikie, 'want een
hond hoort bij een huis!'
Ze plakt stickers op het schilderij, met zonnen en
sterren.
Timo verzint een versje.
Hij schrijft in een hoek van de tekening:

Ik ben thuis
in mijn eigen huis.
Het is fijn
om daar te zijn.
Met een tuin achter je huis
ben je graag thuis.

Kikie rolt het werkstuk op en draait er een lint
omheen.
'Een mooi cadeau', zegt ze. 'Gauw naar opa Ad!'
De moeder van Kikie geeft hun een doos mee
met drie stukken appeltaart.
'Laat opa Ad maar smullen', zegt ze. 'Taart is
goed voor een verdrietig hartje.'
Kikie stopt alles in een plastic tas.

Buiten springt de wind tegen hen op, net als een
hond die wil spelen.
Kikie gilt: 'Mijn haar waait eraf!'
Timo roept: 'En mijn neus stormt bijna weg!'
De tas waait niet weg, want Kikie houdt hem
stevig vast.

5 Iets bruins

De kinderen stormen de keuken van opa binnen.
Timo roept: 'Opa, wij zijn er, en we hebben iets
voor jou!'
Er komt geen antwoord.
Je hoort alleen het tikken van de klok en het
zoemen van een vlieg.
Verder blijft het stil.
Kikie kijkt rond in de kamer.
Op de tafel ligt een briefje.
Ze grist het naar zich toe en leest het voor:

'Ik ben niet thuis.
Ik wilde de zee zien in de storm.
Ik ben op het strand bij paal zestien.

Groetjes van opa Ad'

'Opa is gaan strandjutten', zegt Timo. 'Dat doet
hij wel eens meer. Hij heeft al veel spullen
gevonden! Een ketting van schelpen en een ring
van zilver. Een scheermes van een soldaat, een
blikje cola en een mand voor een hond. Die staat

in het kasje. Kom, dan gaan we naar het strand!'
'Goed,' zegt Kikie, 'maar eerst pak ik mijn tas
uit.'
Ze rolt het schilderij uit op de tafel.
De doos met de stukken taart zet ze erbij.
Dan gaat ze met Timo mee naar buiten.
Timo doet de keukendeur op slot.
Stel je voor dat er een dief komt en dat die het
schilderij wil stelen!

De kinderen vechten met de wind.
Ze klimmen een duin op en roetsjen naar
beneden.
Dan zijn ze op het strand.
De zee is wild, de golven zijn hoog.

De storm blaast hen bijna omver.
Zand stuift in hun gezicht.
Op het strand ligt veel rommel.
Kikie raapt een schoen op.
In de zool gaapt een gat.
Timo vindt een groene fles.
Hij hoopt dat er een schatkaart in zit of een
briefje met *I love you*.
Maar de fles is leeg.
Met een zwaai gooit hij hem weg.
Kikie stoot hem aan.
'Ik zie opa Ad, daar in de verte!'
Bij een paal staat een man.
Hij heeft een rode jas aan.
De man tuurt naar de zee met zijn hand boven
zijn ogen.
Timo roept: 'Opa, we komen eraan!'
Opa doet zijn armen wijdopen.
Hij vangt Kikie en Timo op en roept: 'Wat fijn
dat jullie er zijn! Hebben jullie mijn briefje
gelezen?'
Timo knikt en vraagt: 'Waar keek je naar, opa?'
Opa wijst naar de golven.
'Kijk, daar drijft iets', zegt hij.
Timo en Kikie knijpen hun ogen tot spleetjes.
Ze turen over het water.
Ja, daar dobbert iets in de wilde zee.

Het is iets bruins, iets kleins.

'Ik denk dat het een stuk hout is', zegt Timo.

'Het is een plank van een schip,' zegt Kikie, 'of een bruine vis.'

Opa kijkt door zijn verrekijker.

Hij roept: 'Nee, het is ...'

Kikie gilt: 'Het is een dolfijn!'

'Nee, dat kan niet,' zegt Timo, 'want een dolfijn is niet bruin.'

Een hoge golf neemt het bruine ding mee op zijn rug.

De branding spoelt het aan land.

Stil blijft het liggen op het strand.

Timo en Kikie hollen er naartoe en buigen zich over het ding heen.

Timo roept en zwaait.

'Opa, kom gauw, het is een hondje!'

6 Het mooiste cadeau

De kinderen ploffen naast het hondje neer.
Ze strelen zijn natte vacht.
Het dier bibbert.
Zijn bek gaat open en hij spuugt een golf water
uit.
'Arme hond,' zegt Kikie, 'ben je zo misselijk?
Heb je zeewater in je maag?'
'Je was bijna verdronken,' zegt Timo, 'maar wij
hebben je gered! Wij zijn echte helden!'
Kikie geeft het hondje een kus.
'Weet je wat ik denk', zegt ze. 'Dit hondje stond
op een boot. Toen kwam er een windvlaag aan en
opeens waaide het dier overboord. De mensen op
de boot merkten er niks van. De hond stormde
woeps de zee in!'
'Ja, zo is het gebeurd', zegt Timo.
Opa trekt zijn jas uit.
Vlug rolt hij het natte dier erin.
'We gaan snel naar huis,' zegt hij, 'anders wordt
de hond ziek.'
De wind blaast hen over het strand.
Al gauw zijn ze bij *Hans en Grietje.*

Timo doet de keukendeur open.
Dan rent hij naar de plantenkas.
Daar staat de mand, die opa vroeger vond op het strand.
Timo zet hem in de kamer bij de verwarming.
Opa legt de hond erin, op een zachte deken, en Kikie dekt hem toe met een sjaal.
Het hondje gaapt en knijpt zijn ogen dicht.
'Straks bel ik de politie en ook het asiel', zegt opa.
'Dat hoort zo, want stel je voor dat iemand een hond mist.'
'Niemand mist ons hondje,' zegt Timo, 'want wij waren alleen op het strand en we zagen ook geen boot varen. Die was allang in Engeland!'

Opa vraagt: 'Hoe noemen we de hond?'
'Meneer Jansen,' bedenkt Timo, 'zo heet de hond
van onze juf ook.'
Kikie schudt haar hoofd.
Opa vraagt: 'Tobias dan, of Hektor?'
'Nee, dat zijn domme namen', zegt Kikie. 'We
moeten hem Dobber noemen, omdat hij
dobberde in de zee.'
Opa vindt dat een goed idee.
Kikie en Timo mogen voer halen voor Dobber.
Opa geeft hun tien euro mee.
In de winkel kopen ze brokjes
en een bot om op te kluiven.
Daar krijgt Dobber
sterke tanden van.
Vlug zijn ze terug bij opa Ad.
Opa heeft visite.
Zijn buurvrouw is op bezoek.
Ze heet Rietje van der Gaag, maar
opa noemt haar Rietje Snoepgraag,
want Rietje is dol op snoep.
Op lollies, op spekkies en chips.
Ze snoept de hele dag!
Rietje is dik geworden van al dat snoep.
Ze lijkt op een teddybeer.
Op een lieve teddybeer met een bril op.
Rietje lacht als ze Timo en Kikie ziet.

'Hoi kinderen, moet je kijken', zegt ze. 'Dobber ligt op mijn schoot!'

De vacht van Dobber is droog en glanst als fluweel.

Zijn oren staan recht overeind.

'Dobber, we hebben brokjes voor jou!', roept Timo.

Dobber rent met Timo en Kikie mee naar de keuken.

Daar doet Timo wat voer in een bak.

Dobber smult en smakt.

Kikie aait Dobber over zijn kop.

'Je hebt de woeste zee overleefd', zegt ze. 'Je bent de sterkste hond van de hele wereld!'

Dan ploft ze op opa's knie.

Opa bekijkt het schilderij.

'Er staat een hondje op', zegt hij.

Kikie krijgt lichtjes in haar ogen.

'Dat hondje is Dobber', zegt ze. 'Ik had hem alvast voor je bedacht. Ben je blij dat je Dobber hebt?'

Opa geeft Kikie en Tim een kus.

'Jullie zijn lieve schatten', zegt hij. 'Vandaag heb ik drie cadeautjes gekregen. Een schilderij, appeltaart en ... een hond! En Dobber is mijn mooiste cadeau.'

7 De waterval

De lente is in het land.
De zon tovert bloesems aan de bomen en rode
tulpen in de tuin.
Timo en Kikie vieren de lente met Dobber.
Na schooltijd laten ze hem uit.
Opa zwaait hen dan na in de voortuin en altijd
roept hij: 'Hou zijn riem vast, anders loopt hij
weg! Pas goed op Dobber!'
Dobber wil niet naar het strand.
Hij is bang voor de hoge golven.
Misschien denkt hij dan weer aan die dag, toen
het stormde.
Toen hij in de zee dobberde en bijna verdronk.
Daarom gaan de kinderen met hem naar het
park.
Bij elke boom doet Dobber een plas en hij
snuffelt aan elk hondenhoopje.
Zijn liefste plek is bij het ziekenhuis.
Daar is een veldje.
Op het gras liggen veel drollen.
Dobber wil ze allemaal besnuffelen, want ze
ruiken zo lekker.

Op een dag wil Dobber niet met de kinderen mee.
Hij speelt in de tuin bij de vijver.
Opa Ad is aan het werk.
Hij sjouwt met stenen en keien.
Timo vraagt: 'Wat doe je, opa Ad?'
Opa veegt het zweet van zijn hoofd en zegt: 'Ik maak een waterval. Helpen jullie mee?'
'Ja, leuk!', roepen Kikie en Timo.
Dobber rent blaffend naar hen toe.
Zijn staart zwiept heen en weer en zijn ogen schitteren.
Timo aait de hond over zijn rug.
Kikie geeft hem een koekje.
Dan gaan ze opa helpen.
'Zie je die berg zand bij de vijver? Daar komen stenen en keien', zegt opa. 'Daarna leg ik er een goot op. Daar laat ik water door stromen en dan heb ik een waterval!'

Opa tilt een grote steen op.

Met een plof laat hij hem op de zandberg vallen.

Timo en Kikie sjouwen met zakken grind.

Dat strooien ze tussen de keien.

Ze helpen opa de goot vast te maken en ze rollen
de tuinslang uit.

Ze puffen en hijgen, maar opa Ad werkt het
hardst van allemaal.

Na een poos zet hij de kraan open.

Het water begint te stromen door de goot en
plonst in de vijver.

De vissen zwemmen er naartoe.

Opa Ad staat ernaar te kijken.

'Deze waterval was mijn droom', zegt hij. 'Maar
hij is nog niet af, ik ga hem nog mooier maken!
Later zet ik er lampjes bij. Toverlichtjes in de
nacht.'

'Leuk', zegt Kikie met een zucht.

'Gaaf', zegt Timo.

'Jullie hebben goed geholpen', zegt opa. 'En nu is er pauze!'

Ze drinken sap op het terras.
Opa is te moe om zijn glas te pakken.
Hij strijkt met zijn hand over zijn borst.
Timo vraagt: 'Heb je pijn, opa?'
'Nee hoor', mompelt opa.
Hij gaapt en doet zijn ogen dicht.
'We moeten naar huis', zegt Kikie.
Opa blijft stil in zijn stoel zitten.
Hij zwaait Timo en Kikie niet na bij het tuinhek.
Timo vindt dat raar, want opa doet dat anders
elke dag.
Timo aait Dobber over zijn kop en fluistert: 'Pas
goed op mijn opa, want hij is al een beetje oud.'
Dobber spitst zijn oren en zegt: 'Woef!'
Het is net of hij het snapt.

8 Iets ergs

Die avond ligt Timo vroeg in bed.
Hij leest in zijn boek over draken.
Opeens hoort hij zijn moeder.
Ze is beneden in de gang.
Ze praat in de telefoon en haar stem klinkt
ongerust.
Ze vraagt: 'Wat is er precies gebeurd? Hoe laat
was dat, en waar is hij nu?'
Timo voelt zijn hart bonzen.
Er is vast iets ergs, denkt hij.
Iets ergs met Dobber.
Misschien is hij onder een auto gekomen!
Misschien is Dobber wel dood!
Timo springt uit bed en draaft de trap af.
'Mam, mam, is er iets met Dobber?'
Mama legt de telefoon weg.
Ze slaat haar arm om Timo heen.
'Ik moet je iets naars vertellen', zegt ze. 'Het is
niet goed met opa Ad. Opa is flauwgevallen.
Rietje kwam langs om thee te drinken en toen
vond ze opa. Hij lag op de grond in de keuken.
Rietje belde 1-1-2 en nu ligt opa in het

ziekenhuis. Er is iets mis met zijn hart.'
Timo krijgt rode wangen van schrik.
'Dat komt door die waterval', zegt hij. 'Opa heeft
heel hard gewerkt! Hij sjouwde met zware
stenen en hij wilde ook nog lichtjes maken.'
'Ik ga nu bij opa op bezoek', zegt Timo's moeder
met een zucht. 'Jij moet even alleen thuis blijven.
Durf je dat wel?'
Timo knikt en vraagt: 'Wie zorgt er voor Dobber?'
'Rietje laat hem uit en ze geeft hem voer', zegt
mama.
'Morgen doe ik het, samen met Kikie,' zegt
Timo, 'want wij zijn echte dierenvrienden.'
'Goed hoor', zegt mama en ze geeft Timo een
kus.
Dan gaat ze de deur uit.

Als mama weg is, gaat Timo naar zijn kamer.
Hij wil slapen, maar de slaap komt niet.
Hij luistert naar het kloppen van zijn hart.
Dat tikt steeds maar door: *tik, tik, tik* ...
Net als een wekker.
Timo denkt aan het hart van opa Ad.
Dat bleef misschien wel even stil staan.
Wat een geluk dat Rietje hem vond.
Timo denkt ook aan Dobber.
Wat deed Dobber toen opa op de grond lag?

Sprong Dobber op zijn buik?
Gaf hij opa een lik over zijn wang?
Timo zucht en zucht.
Hij vindt het zo zielig voor opa en Dobber.
Opa en Dobber zijn nu allebei alleen.
Opa is alleen in het ziekenhuis en
Dobber is alleen in het stille huis.
Misschien staat hij bij de voordeur
en wacht hij op opa.
Hij zwaait met zijn staart en jankt
zacht, maar opa komt niet ...
Timo voelt tranen in zijn ogen.
Hij veegt ze weg en dut in.
Hij droomt over een ziekenhuis.
In een groot, wit bed ligt opa Ad.
Timo wil hem een kus geven.
Maar opeens zweeft hij de nacht in.
In zijn armen voelt hij iets liefs.
Het is een bruin hondje.
Samen zweven ze omhoog, naar
de maan en de sterren.

9 Mag niet!

Timo wordt vroeg wakker.
Hij holt de trap af naar de keuken.
Daar zit zijn moeder thee te drinken.
'Het gaat al wat beter met opa,' zegt ze, 'maar hij
mag nog niet naar huis. Opa moet eerst
uitrusten, en hij krijgt pillen voor zijn hart, want
dat lieve hart is in de war.'
Timo verstopt zijn hoofd in mama's hals.
Hij fluistert: 'Gaat opa niet dood?'
Mama geeft Timo een kus en zegt: 'Nee, wees
maar niet bang, maar opa moet flink eten in het
ziekenhuis. De dokter zegt dat hij te mager is.
Jammer genoeg lust opa bijna niets. Zelfs de
lekkerste hapjes laat hij staan.'
Mama kijkt bezorgd, maar Timo is blij.
Opa gaat gelukkig niet dood!
Hij kan opa echt niet missen.

Timo vertelt alles aan Kikie.
Na schooltijd hollen ze naar opa's huis.
Timo heeft de sleutel.
Hij doet de voordeur open en roept:

'Hoi Dobber, we zijn er!'
Dobber ligt in de kamer op de bank.
Zijn oren hangen slap.
Zijn ogen staan dof en verdrietig.
Timo streelt Dobbers vacht en vraagt: 'Ben je zo
alleen, arme hond?'
Kikie aait zijn staart en zegt: 'Kom, dan mag je
naar buiten!'
'Woef', blaft de hond en hij springt van de bank.
De kinderen rennen met hem door het park.
Bij het hek van het ziekenhuis staan ze stil.
'Ik weet iets leuks', zegt Kikie. 'We gaan even bij
opa op bezoek! Als opa Dobber ziet, wordt hij
vast gauw beter!'
Ze trekken Dobber mee naar de ingang.
Op de deur is een sticker geplakt.
Er staat een hondje op, met een rode rand
eromheen.

'Verboden voor honden', wijst Kikie. 'Wat stom, honden zijn juist zo lief voor zieke mensen.'
'Opa mag nog lang niet naar huis', zucht Timo.
'Hij moet eerst goed eten, maar hij heeft nergens trek in en dat snap ik niet!'
'Ik snap het wel', zegt Kikie. 'Opa Ad heeft heimwee en dan lust je bijna niets. Ik heb ook eens heimwee gehad, toen ik bij mijn tante was. Ik verlangde naar mijn eigen bed en naar mijn eigen mama. Ik moest veel eten bij mijn tante. Borden vol boerenkool met spek. Ik werd al misselijk als ik het rook. Opa wil natuurlijk ook naar zijn eigen bed en naar zijn tuin met het watervalletje.'
'En hij verlangt naar zijn hond', zegt Timo. 'Kon hij Dobber maar even zien.'
Dobber begint te blaffen en springt tegen de deur op.
Hij wil naar binnen, maar dat mag niet.
Het is verboden toegang voor hondjes zoals Dobber!

10 Stiekem

Ineens zegt Kikie: 'Ik weet iets. We moeten
Dobber naar binnen smokkelen.'
Timo vraagt: 'Hoe wil je dat doen? Ga je Dobber
verkleden als dokter of zuster? Trek je hem een
witte jas aan?'
Kikie proest van het lachen.
Dan vertelt ze haar plan.
De ogen van Timo beginnen te stralen.
Hij vindt het idee van Kikie super!
Maar het is best gevaarlijk!
'Zou het wel lukken?', vraagt hij.
'Ja, het lukt', zegt Kikie. 'Morgen is het
woensdag. Na school doen we het! Maar we
zeggen niets tegen onze moeders. Draai je mond
op slot, Timo. Het is een geheim van jou en mij.'

Op woensdagmiddag halen ze Dobber op.
Ze rennen met hem naar de schuur van Kikie.
Die staat achter in haar tuin.
Kikie trekt een mand naar zich toe.
Het is een mand met hengsels en met een deksel
erop.

Ze legt er een deken in en een bot met vlees
eraan.
Dat bot heeft ze van de slager gekregen.
Dobber ruikt het bot en springt in de mand.
Kikie maakt het deksel dicht met een touw.
'Dobber, rustig blijven, hoor', zegt ze. 'We gaan
iets geheims doen!'
Ze pakken elk een hengsel beet en stiekem gaan
ze naar buiten.

In het park rusten ze even uit, want de mand is
best zwaar.
Dan lopen ze weer verder, op weg naar het
ziekenhuis.
Bij de deur geeft Kikie Timo een knipoog.
'Verboden voor honden', zegt ze.
'Maar niet voor ons', zegt Timo.
In de hal van het ziekenhuis is het druk.
Het ruikt er lekker naar warme broodjes.
Overal zitten mensen thee te drinken.
Dokters in witte jassen rennen langs hen heen.
'Die gaan naar een operatie', zegt Kikie. 'Dat
doen ze met messen en tangen!'
'Hou op, Kiek', zegt Timo. 'Je voelt niets van een
operatie, want je wordt eerst verdoofd!'
'Met een klap van een hamer', zegt Kikie, 'op je
bolle hoofd!'

Timo lacht en roept: 'De deur van de lift staat open!'

Vlug zetten ze de mand in de lift.

Timo drukt op een knopje met '4' erop.

Opa ligt op de vierde verdieping, in gang twaalf en in kamer acht.

Dat heeft mama hem verteld.

De lift stopt op de tweede verdieping en er stapt een zuster naar binnen.

Ze wijst naar de mand en vraagt: 'Wat zit daar in?'

Timo krijgt een kleur.

'Iets ... voor mijn opa', zegt hij.

'Tien schone onderbroeken,' zegt Kikie, 'want
opa heeft er nog maar één en dat is zielig voor
hem. Hij moet hier nog lang blijven en dan krijgt
hij misschien een onderbroek van iemand
anders. En dat is vast een rare broek, met strikjes
en kantjes, en daar houdt onze opa niet van.'

Timo stikt van het lachen en sist: 'Wat kun jij
jokken, Kiek!'

Kikie giechelt achter haar hand.

Ineens krijgt Timo het warm van schrik.

De mand begint te schudden.

Als Dobber nu maar niet gaat blaffen.

Gelukkig houdt de hond zich koest.

De zuster stapt uit op de derde verdieping.

'Die is weg', zegt Kikie met een zucht.

11 De smokkeltruc

De lift stopt weer op verdieping vier.
De kinderen dragen de mand door gang twaalf.
De deur van kamer acht staat open.
Opa Ad ligt in een bed bij het raam.
Zijn ogen zijn dicht en zijn wangen zijn bleek.
Op een kastje staat een bord met brood.
Er zit kaas op en ham.
De foto van oma Rosalien ligt op het kussen.
Kikie en Timo zetten de mand neer.
Timo doet de kamerdeur goed dicht en hij zet er
een krukje voor.
'Opa, wakker worden', zegt Kikie.
Slaperig doet opa zijn ogen open.
Verbaasd gaat hij zitten en begint te lachen.
'Dag kinderen, wat een verrassing!'
'We hebben iets bij ons', zegt Kikie. 'Raad eens
wat het is?'
'Een zak koekjes, of een spannend boek', zegt
opa.
'Mis!', roept Timo.
Kikie maakt de mand open.
Dobber wipt eruit en springt op het bed.

'Dobber,' juicht opa, 'trouwe vriend!'

'Woef, woef', blaft Dobber blij.

Hij geeft opa een lik over zijn wang.

Dan kruipt hij dicht tegen zijn baasje aan.

Opa fluistert in Dobbers oor: 'Wat heb ik je
gemist. 's Nachts kon ik niet slapen en overdag
had ik geen trek in eten. Ik wilde naar huis, want
ik wilde naar jou, lief dier!'

Opa aait Dobbers vacht en zegt: 'Ik heb ineens
honger als een reus!'

Timo zet het bord met brood op de sprei.

Opa begint meteen te smullen.

Dobber lust ook wel een hapje.

Hij krijgt een plakje ham.

Dan gaat de deur van de kamer open.

Het krukje schuift opzij.

Verschrikt kijkt Timo om.

Er stapt een zuster naar binnen.

Verbaasd kijkt ze naar opa's bed.

'Wat zie ik daar nou', roept ze. 'Een hond? Dat
mag niet in dit ziekenhuis! Hoe komt dat dier
hier?'

Timo krijgt een kleur.

'Dat hebben wij gedaan', zegt hij. 'We hebben de
hond verstopt in een mand, want Dobber wilde
naar zijn baas!'

De zuster kijkt streng.

'Dus jullie zijn smokkelaars', zegt ze.
Kikie is niet bang voor de zuster.
'Ja, wij zijn smokkelkinderen', zegt ze. 'Maar opa
Ad is blij met zijn hond en ... hij heeft al zijn
brood op. Kijk maar, zijn bord is leeg!'
'En ik lust nog wel iets', zegt opa. 'Friet met een
kroket.'
De zuster begint te lachen.
Ze stopt een thermometer in opa's oor.
Ook legt ze haar vinger op zijn pols.
'Het gaat prima met u', zegt ze. 'Als u flink blijft
eten, mag u snel naar huis. Maar die hond moet
van het bed af. Heeft hij vieze poten gemaakt?'

'Nee, Dobber is een schone hond', zegt Kikie.

Opa geeft Dobber een aai over zijn kop.

'Dag lief vriendje', zegt hij zacht.

Timo tilt Dobber op en zet hem in de mand.

Het deksel doet hij dicht.

Hij geeft opa een kus en zegt: 'Mama komt
vanavond op bezoek. Ik wil je iets vragen. Vertel
mama niets over onze truc, anders krijg ik op
mijn kop! Het is een geheim van ons drietjes.'

Opa lacht en zegt: 'Goed, ik hou mijn mond.

Later vertel ik het pas, is dat goed?'

Timo knikt.

'Als je weer thuis bent, opa!'

Timo en Kikie gaan de deur uit.

'Dag opa Ad', zwaaien ze.

Dobber zegt opa ook gedag.

'Woef, woef', klinkt het in de mand.

12 Goed nieuws

Het is vrijdag.
Timo komt uit school.
Zijn moeder staat in de tuin en zwaait naar
Timo.
Haar ogen stralen, want ze heeft goed nieuws.
'Dag lieve Timo,' zegt ze, 'ik moet je iets
vertellen. Opa komt thuis, morgen al!'
'Hiep hoi!', juicht Timo. 'Hoe laat mag opa weg
uit dat saaie ziekenhuis?'
'Om tien uur', zegt mama. 'Ik haal hem op met
de auto en dan breng ik hem naar zijn huis.'
'Ik ga even naar Kikie', zegt Timo. 'Ze moest
naar de tandarts, maar ze is vast al terug!'

Timo holt naar het huis van de buren.
Hij bonst op de voordeur en hij drukt een paar
keer op de bel.
Tring ... tring ... tring!
Kikie doet open.
Haar zwarte haar zit leuk.
Ze heeft er twee staarten in.
Lange staarten met strikken.

Timo wil ook wel eens een staart, maar zijn haar
is veel te kort, dus dat lukt echt niet.
'Ik had nul gaatjes', zegt Kikie. 'Maar waarom
bonsde je zo hard en waarom belde je
zo vaak? Ik dacht dat er brand was.'
'Ik heb goed nieuws', zegt Timo.
Kikie trekt Timo mee naar de keuken.
Daar staat haar moeder te koken.
Het ruikt lekker, Timo krijgt er honger van.
'Dag jongen,' zegt Kikies mama,
'wat kijk je blij!'
Timo zegt: 'Mijn opa komt thuis,
morgen al!'
Kikies mama lacht en zegt:
'Dan krijgt hij een taart van mij, omdat
hij weer beter is.'
'Bak je er een dokter op, of een zuster?',
vraagt Timo.
'Nee,' zegt Kikies mama, 'ik zet er iets anders op.
Dat is een verrassing.'
'Ik heb een plan, we gaan het huis van opa
versieren', zegt Kikie.
Ze doet een kast open.
In een doos liggen vier slingers en vier pakjes
ballonnen.
Het zijn er wel veertig!
'Wat veel', juicht Timo. 'Morgen gaan we alles

mooi maken. Maar we moeten wel vroeg zijn,
want opa is al om kwart over tien thuis.'
Kikie knikt.
'Zet je wekker op halfacht, Timo! Ik haal je op
om acht uur en dan gaan we versieren. Verslaap
je niet!'

Die avond zet Timo zijn wekker op halfacht.
Hij legt alvast zijn kleren klaar.
Zijn nieuwe broek, zijn stoere T-shirt en zijn
schone sokken.
Nog even leest hij in zijn boek, maar dan vallen
zijn ogen dicht.

13 Welkom thuis

Timo verslaapt zich niet.
Om vijf over acht is hij in *Hans en Grietje*, samen
met Kikie.
Rietje Snoepgraag is er ook.
Ze hangt slingers op, rood, wit en blauw.
Rietje zingt een liedje:

'Rood, wit en blauw.
De koning en zijn vrouw,
die reden naar de stad.
Daar aten ze patat
en vielen op hun gat!'

Timo en Kikie zingen mee.
Dan blazen ze de ballonnen op.
Dobber hapt naar een ballon en bijt erin.
Boem! doet de ballon.
Hij spat uit elkaar.
Dobber schrikt ervan.
Hij jankt en blaft.
Kikie moet lachen.
'Arme Dobber, je schrok je een hoedje', zegt ze.

'Woef', blaft Dobber.
Hij duikt onder de bank.
Rietje hangt de ballonnen overal.
In de kamer en in de keuken, op het terras en bij
de waterval, en zelfs eentje in de wc.
Dan gaat ze naar de winkel, want ze wil iets
lekkers kopen.
Timo zoekt een stuk karton.
Het ligt in de kast.
Met een stift schrijft hij erop:

WELKOM THUIS OPA AD

Kikie tekent er hartjes bij.
Het bord wordt mooi.
Timo prikt er een gat in en hij haalt er een
touwtje door.
Hij hangt het bord buiten aan de tak van een
boom.
Kikie versiert de tuinstoel van opa met een
bloemenslinger van papier.

Rietje is terug uit de winkel.
Vlug dekt ze de tuintafel en ze zet er schalen op.
Daar doet ze koek en snoep in en chips en
nootjes.
'Jammie!', roepen Kikie en Timo.

Vlug pakken ze een handvol chips.
Dat mag wel van Rietje.
Opeens horen ze: *Toet, toet!*
Een auto rijdt de straat in.
Hij stopt bij de voortuin.
'Daar zijn ze!', roept Timo.
Dobber begint vrolijk te blaffen.
'Woef, waf, waf!'
Het is net of Dobber het weet.
Zijn baasje komt weer thuis!

14 Taart, een geheim en een wens

Het wordt feest in de tuin.
Opa zit bij de waterval in zijn versierde stoel.
Hij heeft een nieuw T-shirt aan, met een tijger
erop.
Dobber ligt op zijn schoot.
Opa geeft hem kusjes op zijn oren en op zijn
vacht.
Dobber likt over opa's neus.
Opa wordt er nat van, maar dat vindt hij niet erg.
Rietje schenkt koffie in.
Kikie en Timo drinken cola.
Dan horen ze een vrolijke stem.
'Hier ben ik, hier ben ik!'
Kikie lacht en zegt: 'Daar heb je mijn moeder! Ze
lijkt wel een prinses!'
De mama van Kikie heeft een lange blauwe jurk
aan.
Haar rok raakt bijna de grond.
In haar oren zitten bellen van goud.
Die bellen maken muziek: *Ting, tang, ting!*
Ze heeft ringen aan haar vingers met blauwe
steentjes erin.

Ze zet een taart op de tafel en dan geeft ze opa
een dikke kus op allebei zijn wangen.
De taart is echt knotsgroot, met kersen erop en
dikke moppen slagroom.
'Voor jou, opa Ad', zegt ze. 'De taart gaat over het
ziekenhuis. Er staat een bedje op. Je kunt het
eten hoor, want het is van deeg. En zie je dat
popje in het bedje? Dat ben jij, je lijkt er precies
op.'
Opa moet erom lachen.
Rietje snijdt de taart in stukken.

Opa neemt eerst een pilletje in voor zijn hart.
Dan smult hij van de taart.
Timo vindt de slagroom het lekkerst en Kikie
snoept alle kersen op.
Opa laat een klein stukje taart over.
Op dat restje staat het bedje met het leuke
mannetje.
Het is veel te mooi om op te eten, dus hij wil het
nog even bewaren.

'Wat fijn is het om weer thuis te zijn', zegt opa
met een lachje.
De moeder van Timo knikt en zegt: 'Ja, en je bent
er zo vlug al, dat hadden wij niet verwacht.'
Opa geeft Timo en Kikie een knipoog.
'Weet je waarom ik zo snel thuis ben?', zegt hij.
'Het komt door deze kinderen, ze hadden een
verrassing voor mij. Het was een geheim van ons
drietjes, maar vandaag mag ik het verklappen.'

Dan vertelt opa alles over de smokkeltruc.

Timo's moeder kijkt boos en zegt: 'Dus jullie hadden een stiekem plan en daar wist ik niets van. Mag je wel een geheim hebben voor je eigen moeder?'

'Ja, soms mag dat', zegt Timo. 'Ons geheim was voor een goed doel, want opa is vlug beter geworden en dat kwam door onze truc!'

De moeder van Timo lacht.

Ze is niet boos meer.

'Ik heb ook een geheim,' zegt ze, 'maar ... ik vertel het nog niet!'

Timo roept: 'Mam, zeg het nou! Met welke letter begint je geheim?'

'Met een L', zegt mama.

Kikie roept: 'Ik weet het, het is een lolly! Straks krijgen we een knotsgrote lolly die bijna niet in je mond past.'

'Fout', zegt mama lachend.

Opa raadt mee.

'Het is de L van leverworst', zegt hij. 'Daar is Dobber dol op.'

'Mis', zegt Timo's moeder. 'Hou maar op met raden. Mijn geheim zien jullie vanavond, na het eten.'

'Ik heb geen geheim,' zegt opa, 'maar ik heb wel een wens.'

De moeder van Kikie lacht.

'Vertel hem maar, lieve man', zegt ze.

Timo denkt: Wat zou opa wensen?

Een reis naar de maan?

Of tuinlampjes bij de waterval?

Want die staan er nog niet en die zijn vast erg duur.

Dan hoort hij opa zeggen: 'Mijn wens is een liedje. Het gaat over Rosa en over de wind. Oma Rosalien speelde het altijd op de piano en ze zong er zo mooi bij. Dat zou ik graag weer willen horen.'

De moeder van Kikie glimlacht en zegt: 'Je wens wordt vervuld. Kom mee naar binnen allemaal!'

15 Een fijne dag

In de kamer staat de piano.
Hij is net zo oud als opa Ad.
Het hout is niet mooi meer, er zitten vlekken op,
maar de piano doet het nog goed.
De moeder van Kikie gaat op de kruk zitten.
Haar vingers strelen de toetsen.
Haar ringen glinsteren in de zon.
Dan begint ze zachtjes te spelen.
Door de kamer klinkt het lied over Rosa.
'Dat liedje kennen wij wel', zegt Timo. 'We zongen
het in groep drie, maar we waren het vergeten!'
Kikies mama speelt het nog een keer en iedereen
zingt mee:

'Alles in de wind,
alles in de wind,
daar liep een schipperskind.
Kom hier, Rosa.
Je bent mijn zusje,
je bent mijn zusje.
Kom hier Rosa,
je bent mijn zusje, ja ja!'

'Dat was prachtig, mijn wens is vervuld', zegt opa blij.
Hij geeft de mama van Kikie een dikke kus.
Ze zingen het lied wel tien keer.
De kamer is vol muziek.
Kon oma Rosalien het maar horen, dan zou ze blij zijn.
Opeens kijkt opa om zich heen.
'Waar is Dobber?', vraagt hij. 'Ik mis die lieve hond!'
Dobber zit niet in zijn mand en hij is ook niet in de keuken.
Kikie en Timo rennen naar de tuin.
'Dobber, Dobber, waar ben je?', roepen ze.
Opeens zien ze hem, boven op de tafel.
Hij likt het bordje taart van opa schoon.
Kikie gilt: 'Opa, kom gauw!'
Opa loopt naar het terras.

'Stoute Dobber', zegt hij. 'Waar is mijn restje taart? En waar is het bedje gebleven, en waar is dat leuke poppetje?'

'Woef', blaft Dobber.

Alles is op!

Alles zit in de maag van Dobber.

Timo vraagt: 'Ben je nu boos op hem?'

Opa schudt zijn hoofd.

'Nee, ik word nooit boos op Dobber, want hij is mijn vriend.'

Kikie vraagt: 'Hoef je nu nooit meer te huilen? Stiekem in een hoekje?'

Opa lacht en zegt: 'Nee, want ik heb jullie en ik heb Dobber. Die hond troost me altijd.'

Timo snijdt een stukje taart af.

Hij roept: 'Dobber, hap!'

Maar Dobber hoort het niet, want hij slaapt.

Opa gaat ook even slapen, anders wordt zijn hart zo moe.

Die avond eten ze bij opa.

Pizza met kaas en tomaat, en ijs met kersen toe.

Opa eet het meest, want hij moet er nog van groeien.

Als alles op is, vraagt Timo: 'Mam, waar blijft je geheim? We willen het zien, we willen het horen!'

'De zon gaat bijna onder,' zegt mama, 'dus het wordt al een beetje donker. Nu is het tijd voor het geheim!'

Ze geeft opa een arm en zegt: 'Kom, we gaan naar de tuin, daar laat ik het zien. En iedereen mag mee!'

Buiten zien ze het geheim met de L.

Het zijn lampjes.

Ze branden bij de waterval.

Het zijn er wel twintig!

Ze schitteren en flonkeren.

'Wat mooi', zegt Timo. 'Daar wisten wij niets van!'

Zijn moeder lacht.

'Ik heb ze in de grond gezet, samen met Rietje', zegt ze. 'Jullie merkten niets. We deden het heel stiekem. De lampjes gaan aan in het donker, zomaar vanzelf.'

Opa tilt Dobber op.

'Kijk eens, Dobber', zegt hij. 'Daar staan toverlichtjes. Die lampjes wilde ik zo graag. Als oma Rosalien ze eens kon zien!'

Opa zet Dobber op de grond en draait zich om.

Dan loopt hij weg.

Timo vindt dat raar.

Waarom doet opa dat?

Hij holt achter hem aan.
Opa staat bij de heg.
Hij huilt, stiekem in een hoekje.
'Waarom huil je?', vraagt Timo. 'Heb je pijn in je hart?'
Opa schudt zijn hoofd.
'Nee, ik heb geen pijn', zegt hij. 'Ik huil gewoon van geluk, omdat de dag zo mooi was.'
Timo geeft opa een servet.

Dat zat in zijn broekzak.
Opa droogt zijn tranen.
Dan lopen ze samen terug
naar de waterval en de lichtjes.

De maan komt op.
Het is al laat.
Dobber slaapt in zijn mand.
Hij snurkt en laat windjes.
Pffff, pffff ...
Timo en Kikie moeten ook naar bed.
Ze nemen afscheid van opa.
Opa zwaait hen na bij het hekje.
'Droom straks maar lekker', zegt hij.
'Droom over een fijne dag!'
Rietje zwaait ook, met een rode ballon.
Ze blijft nog een poosje bij opa.
Omdat ze hem zo lief vindt.

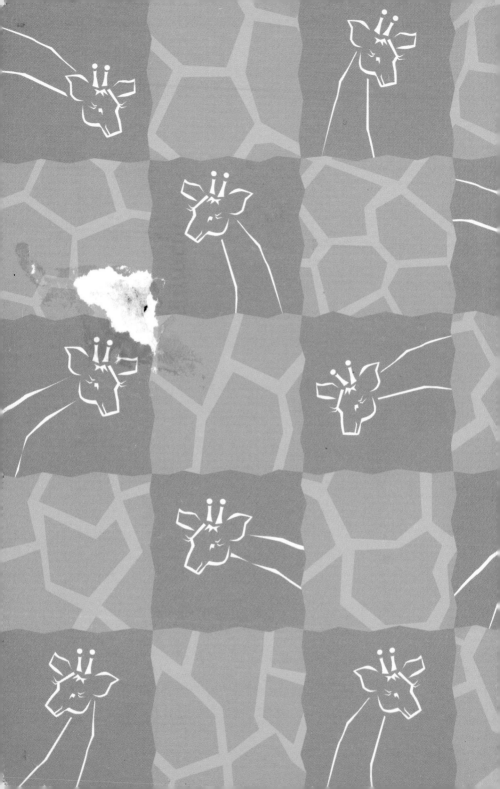